Max a u

___

© Calligram 1998
Tous droits réservés pour tous pays
Imprimé en Italie
ISBN : 978-2-88445-401-8

Ainsi va la vie

Max
a une amoureuse

Dominique de Saint Mars

Serge Bloch

Je l'aime... un peu... beaucoup, à la folie..

CALLIGRAM

CHRISTIAN GALLIMARD

8

9

11

14

15

16

17

18

19

20

Alors, t'es amoureux, on dirait ?

Euh non ! Mais pourquoi vous ne l'aimez pas, Marie ?

Si, mais bon !

C'est pas comme Juliette...

Mais elle ne me regarde même pas Juliette !

Qu'est-ce qu'il y a, Max ?

22

C'est méchant quand même !

Attends, Marie...!

24

Alors, les garçons, vous faites souffrir les filles ?

Non, euh, c'est Max, il ne veut pas sortir avec Marie !

Tu as vu ça Juliette ? Quel tombeur, ce Max !

Pauvre Marie... mais peut-être que Max est amoureux d'une autre ?

26

27

28

29

35

38

40

Et toi...

Est-ce qu'il t'est arrivé la même histoire qu'à Max ?

Si tu es amoureux(se)...

À quel âge ça t'est arrivé ? Ça te rend heureux(se), ou malheureux(se), ou les deux ? Y penses-tu souvent ?

Est-ce toi qui as fait « le premier pas » ?
As-tu déjà aimé quelqu'un qui ne t'aimait pas ?

Aimes-tu en parler ? Ou essaies-tu de le garder secret ? As-tu peur qu'on se moque de toi ?

Es-tu du genre « fidèle pour la vie », « dragueur(se) infatigable », ou « indécis(se) qui ne peut choisir »?

Est-ce que cela fait un problème avec tes amis ?
Es-tu influencé par ce qu'ils pensent ?

Qu'est-ce qui te fait « craquer » pour quelqu'un ? Son charme, sa drôlerie, sa beauté, ses bonnes notes, son look ?

Ça ne t'intéresse pas ? Préfères-tu attendre d'être grand(e) ?
Cherches-tu d'autres moyens de te faire aimer ?

Trouves-tu ça ridicule ? que c'est une perte de temps ?
que ça rend inquiet(e) ou même jaloux(se) ?

Penses-tu que les copains, c'est plus important ?
Préfères-tu jouer, faire du sport et même... travailler ?

Si tu n'es pas amoureux(se)...

Penses-tu que tu es moche ? nul(le) ? que personne ne peut t'aimer ? Aurais-tu honte de dire que tu es amoureux(se) ?

As-tu peur qu'on te repousse ? As-tu été déçu(e) ? Les filles (ou les garçons) qui t'ont « dragué(e) » t'ont-ils fait peur ?

Quelqu'un a-t-il été amoureux de toi, mais toi, tu ne l'étais pas ? Ça t'a fait plaisir ? ou ça t'était égal ?

**Après avoir réfléchi
à ces questions
sur l'amour,
tu peux en parler
avec tes parents ou tes amis.**